À la poêle

Pour cuisiner sans stresser

Sommaire

Desserts

Index

Trucs et astuces

Pour cuisiner sans stresser

Les bons ustensiles

- **Les incontournables :** une poêle à frire ronde basique vous permettra de saisir les viandes, les légumes, les poissons, les crustacés et les œufs. Une sauteuse, avec ses bords hauts, vous sera utile pour faire revenir tous les ingrédients qui nécessitent d'être remués. Si votre sauteuse est de la même taille que la poêle, son couvercle vous servira pour les deux.
- **Les basiques :** un wok vous permettra de réaliser toutes les recettes asiatiques et une poêle grill (fond en relief) vous permettra de réaliser des viandes parfaites. Une poêle à paella vous sera utile pour tous les plats à base de riz (paella, Jambalaya...). Comme les cuisiniers, utilisez une poêle dédiée aux œufs et une autre dédiée au poisson afin de ne pas mélanger les odeurs. Et bien entendu, n'oubliez pas l'indétrônable poêle à crêpes !
- **Les petits plaisirs :** l'équipement de base acquis, faites-vous plaisir avec une poêle ovale qui vous permettra de cuire les poissons sans les plier. Amusez-vous avec une poêle à blinis (Ø 12 cm) pour réaliser blinis, galettes marocaines, Naân... Une poêle à poignée amovible et à couvercle qui passe de la plaque au four permettra aux amateurs de réaliser les fameuses tortillas. Et si vous possédez une cheminée, faites l'acquisition d'une poêle à très long manche pour retrouver les saveurs inégalables des la cuisson sur feu de bois, ainsi que d'une poêle à marrons.
- **Les spatules :** une cuillère en bois et une spatule en silicone sont les deux ustensiles indispensables pour mélanger les ingrédients. Agrémentez votre collection en fonction de vos besoins : spatule plate qui se glisse sous les viandes et les poissons, pince en silicone pour tourner ou servir...
- **Les matériaux :** les poêles les plus pratiques sont celles équipées d'un revêtement antiadhésif. Vous en trouverez aussi en tôle, en aluminium ou en fonte. Hormis celles en tôle, elles s'adaptent toutes à tous les modes de cuisson.

Du côté de la cave*

- Les vins jeunes s'adaptent facilement aux poêlées. Le carafage, qui a pour but d'aérer un vin jeune, de réveiller ses arômes et d'arrondir ses tannins, est surtout conseillé pour les vins rouges. 2 heures avant de servir, transvasez doucement le vin dans une carafe. Allongez le temps jusqu'à 6 heures pour les vins corsés. Faites-le au dernier moment pour les vins plus anciens ou les vieux millésimes.

Gagner du temps

- **La poêle** vous permet de sauter (faire cuire rapidement des petits morceaux à feu vif en remuant sans cesse) ou de poêler (faire cuire des plus gros morceaux sur une matière grasse). Le mode de cuisson étant en lui-même très rapide, il ne faut pas espérer gagner beaucoup de temps lors de la réalisation d'une recette. Le gain de temps principal se situe dans la préparation des ingrédients.
- **Le wok,** qui combine les avantages de la cuisson à la poêle et ceux de la cuisson à la vapeur grâce à son couvercle, vous fera souvent gagner du temps par rapport à une sauteuse classique.
- **Légumes :** réalisez des poêlées de légumes avec des légumes surgelés si vous n'avez pas le temps d'éplucher et de couper des légumes frais. Privilégiez les légumes coupés en petits morceaux qui rendront moins d'eau. Ne les faites pas décongeler au préalable et surtout, versez-les dans une poêle très chaude. S'ils redonnent trop d'eau, faites-les égoutter dans une passoire et remettez-les à nouveau dans la poêle très chaude. *Chop suey de légumes – Fricassée campagnarde de pois – Sauté de carottes et de poireaux.*

* Les vins sont donnés à titre de suggestion. L'abus d'alcool est dangereux pour la santé. À consommer avec modération.

Cuisiner en avance

- **La cuisson à la poêle** donne peu d'occasion de cuisiner en avance, la plupart des plats préparés devant être consommés aussitôt la cuisson terminée.
- **Tortilla** : faites-la cuire en avance, réservez-la au frais et coupez-la en petits dés pour la servir en apéritif. *Tortilla au poisson.*
- **Omelette :** réalisez une omelette très fine. Déposez-la sur une assiette et recouvrez-la d'une fine couche de St-Moret mélangé à de la ciboulette ou à de l'aneth. Roulez l'omelette très serrée, emballez-la dans du film alimentaire et réservez au frais. Au moment de servir, coupez le rouleau d'omelette en rondelles et faites-les tenir avec un pic en bois. *Omelette à la sauge.*
- **Paella :** réalisez-la la veille et réchauffez-la à feu très doux le lendemain, elle n'en sera que meilleure ! Stoppez la cuisson 15 minutes avant la fin et attendez le jour même pour incorporer les petits pois, les moules, les crevettes et tous les ingrédients qui nécessitent peu de cuisson. *Paella.*
- **Légumes, viandes, poissons :** la cuisson à la poêle leur donne une saveur incomparable. Utilisez les restes pour réaliser un hachis, un gratin ou pour parfumer un plat de pâtes ou une omelette. *Chop suey de légumes – Fricassée campagnarde de pois – Poêlée d'automne – Pommes de terre sautées.*

Remplacer un ingrédient

- **Asperges :** si la saison des asperges est passée, remplacez-les par des courgettes que vous aurez détaillées en dés avant de les faire sauter dans un peu d'huile d'olive. *Fricassée d'asperges vertes.* En accompagnement de St-Jacques, remplacez-les par une fondue de poireaux ou de poivrons, selon la saison. *Poêlée de St-Jacques aux asperges.*
- **Champignons :** ne vous privez pas du parfum des champignons en dehors de la saison. Remplacez-les par des champignons séchés que vous trouverez toute l'année à côté du rayon légumes ou en épicerie fine. Faites-les tremper dans un bol d'eau tiède pendant 30 minutes, égouttez-les bien et séchez-les dans du papier absorbant. Pensez à conserver l'eau de trempage pour parfumer un bouillon, l'eau des pâtes ou du riz. *Poêlée d'automne – Poêlée de St-Jacques aux asperges.*

Les ingrédients de base

- **Les viandes :** poêlez vos viandes comme au restaurant. Coupez des morceaux de même taille afin d'avoir une cuisson uniforme. Sortez la viande du réfrigérateur 1 heure avant de la poêler. Entailler les bords pour qu'ils ne se rétractent pas à la cuisson et poivrez les deux côtés. Ne salez surtout pas la viande afin de ne pas la faire couler lors de la cuisson. Faites chauffer la poêle sur feu vif, puis ajoutez un peu de matière grasse. Déposez la viande dans la poêle et appuyez dessus avec une spatule. Attendez quelques minutes, sans déplacer le morceau de viande, puis retournez-le. Salez délicatement le côté cuit. Faites-cuire l'autre côté quelques minutes, puis poêlez rapidement le premier côté afin de le réchauffer. Salez le second côté. En cours de cuisson, arrosez la viande de jus. Utilisez de préférence une poêle gril, son fond en relief recueillera les graisses et marquera la viande comme au restaurant.
- **Les poissons :** farinez les poissons avant de les cuire afin qu'ils se défassent moins et que la chair ne se dessèche pas.
- **Les légumes :** saisissez-les dans une poêle et une matière grasse très chaudes afin qu'ils rendent le moins possible d'eau.
- **La matière grasse :** adaptez la taille de votre poêle aux ingrédients afin qu'il n'y ait pas trop de matière grasse qui brûle autour. Ayez la main légère en huilant ou en beurrant vos poêles à l'aide d'un papier absorbant, et testez une bonne astuce : une cuillère à soupe d'huile ajoutée dans le beurre lui évite de brûler.
- **Un liquide pour déglacer :** réalisez des sauces délicieuses en faisant dissoudre les sucs contenus dans le jus de cuisson. Après avoir retiré la viande, le poisson ou les crustacés, remettez la poêle sur feu vif. Ajoutez un peu de liquide hors du feu (crème, vin, vinaigre, alcool, bouillon...). Frottez le fond du plat avec une spatule pour décoller les sucs, faites caraméliser quelques secondes et faites réduire si besoin. Versez la sauce sur le plat ou servez-la à part.

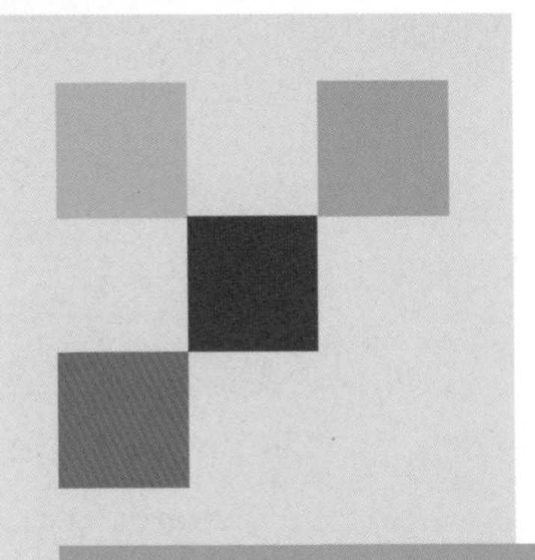

Blinis

Préparation 25 min Cuisson 20 min Repos 1 h Difficulté ★★ Budget

Les Ingrédients

pour 6 personnes

- 10 cl de lait
- 5 g de levure de boulanger
- 1 œuf
- 80 g de farine
- Huile
- 20 g de beurre fondu
- Sel, poivre

Faites tiédir le lait. Hors du feu, ajoutez la levure et laissez-la se dissoudre. Mélangez. Ajoutez le jaune d'œuf et fouettez.

Versez la farine dans un saladier. Arrosez avec le lait et fouettez en ajoutant une cuillère à soupe d'huile, le beurre fondu, une pincée de sel et une pincée de poivre. Laissez reposer 1 heure.

Fouettez les blancs en neige, puis incorporez-les délicatement à la préparation reposée.

Faites chauffer une poêle antiadhésive huilée. Versez-y un peu de pâte et laissez cuire 2 minutes, puis retournez le blinis et faites cuire 1 à 2 minutes. Retirez le blinis de la poêle et maintenez-le au chaud. Recommencez l'opération jusqu'à épuisement de la pâte.

Servez avec du saumon fumé.

Vin conseillé Cheverny blanc à 9 °C

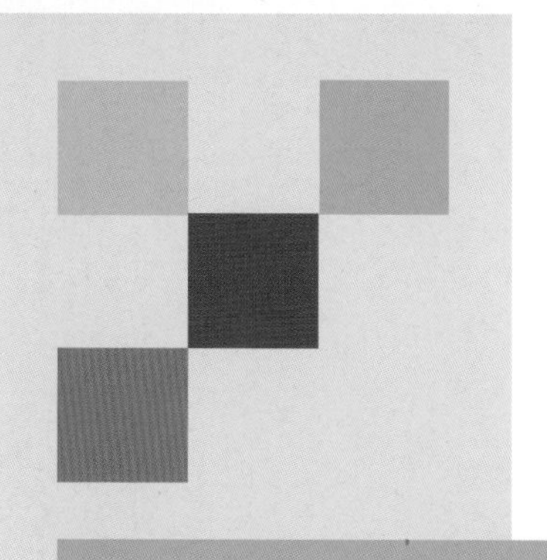

Fricassée d'asperges vertes

Préparation **20 min** | Cuisson **30 min** | Difficulté ★★ | Budget 

Les Ingrédients

pour 6 personnes

- 2 bottes d'asperges vertes
- 3 tranches de pain de mie
- 2 échalotes roses
- 3 cuill. à soupe d'huile d'olive
- 2 œufs
- 1 poignée de feuilles de betterave
- 20 g de beurre
- Sel, poivre

Lavez, essorez et séchez les feuilles de betterave. Épluchez les asperges, puis lavez et séchez-les. Coupez-les en tronçons biseautés de 4 cm de long environ. Pelez et émincez finement les échalotes. Retirez la croûte des tranches de pain, puis mixez la mie pour en faire une chapelure grossière.

Faites chauffer deux cuillères à soupe d'huile dans une sauteuse. Ajoutez les asperges et les échalotes, et faites-les revenir 5 minutes à feu moyen en remuant sans arrêt. Baissez le feu, versez un peu d'eau dans la sauteuse, couvrez et faites cuire pendant 20 minutes en remuant régulièrement.

Pendant ce temps, faites chauffer le reste d'huile dans une poêle. Ajoutez la chapelure et faites-la dorer rapidement. Retirez-la de la poêle et réservez-la. Essuyez la poêle et faites-y fondre le beurre à feu doux. Cassez les œufs dans la poêle et remuez sans arrêt jusqu'à obtention d'une brouillade. Ajoutez la chapelure, salez et poivrez, puis remuez et retirez du feu.

Répartissez les asperges dans des assiettes, ajoutez la chapelure à l'œuf brouillé et décorez de pousses de betterave.

Servez aussitôt.

Vin conseillé Muscadet-Sèvre et Maine à 9 °C

Gâteau d'omelettes

Préparation **20 min** Cuisson **20 min** Difficulté ★★★ Budget ◯

Les Ingrédients

pour 6 personnes

- 16 œufs
- 1 grosse poignée d'épinards en feuilles
- 2 cuill. à soupe de concassé de tomates
- 50 g d'olives noires dénoyautées
- 8 anchois à l'huile
- 6 tiges de ciboulette
- 3 cuill. à soupe d'huile
- 20 g de beurre
- Basilic
- Sel, poivre

Épluchez et lavez les épinards. Faites fondre le beurre dans une poêle et faites-y suer les épinards pendant 5 minutes. Salez et poivrez, puis réservez.

Égouttez les anchois, lavez, séchez et ciselez la ciboulette. Coupez les olives en deux. Cassez les œufs dans quatre récipients différents. Battez-les en omelette, salez et poivrez.

Ajoutez les épinards dans l'un des récipients, le concassé de tomates et les anchois dans le deuxième, et les olives et la ciboulette dans le troisième. Laissez nature les œufs du quatrième récipient.

Faites chauffer l'huile dans une grande poêle antiadhésive. Versez-y les œufs nature et laissez cuire 3 minutes à feu doux. Quand les bords de l'omelette sont pris, versez la préparation à la concassée de tomates. Poursuivez la cuisson 3 minutes à couvert, puis versez celle aux olives et faites cuire encore 3 minutes avant de terminer par la préparation aux épinards. Couvrez et poursuivez la cuisson 3 minutes.

À l'aide du couvercle, retournez le gâteau d'omelette et faites cuire 1 minute. Glissez le gâteau d'omelettes dans un plat et servez aussitôt, décoré de feuilles de basilic et accompagné d'une salade verte.

Vin conseillé Bordeaux clairet à 9 °C

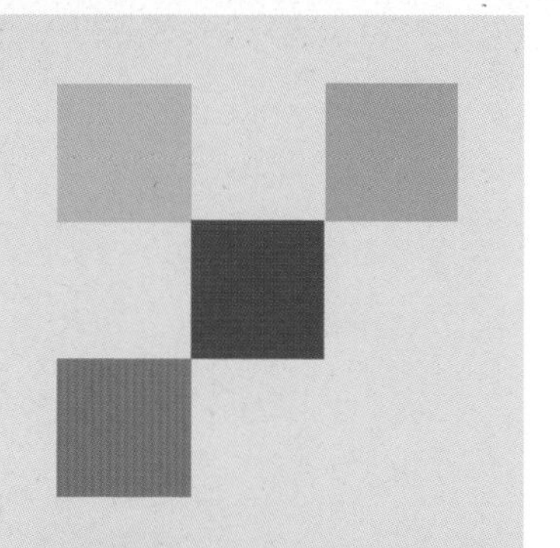

Omelette à la sauge

Préparation **10 min** Cuisson **10 min** Difficulté ★ Budget 

Les Ingrédients
pour 6 personnes

- 12 œufs
- 1 bouquet de sauge
- 40 g de beurre
- 1 cuill. à soupe d'huile
- Sel, poivre

- Lavez, séchez, effeuillez et ciselez la sauge. Cassez les œufs un saladier. Battez-les. Salez et poivrez, puis ajoutez la sauge. Mélangez bien.
- Faites chauffer le beurre et l'huile dans une poêle. Versez-y la préparation et faites-la cuire à feu doux pendant environ 5 minutes, jusqu'à ce que le contour de l'omelette soit bien pris.
- Retournez l'omelette en vous aidant d'un grand couvercle et poursuivez la cuisson 3 à 4 minutes.
- Glissez l'omelette dans un plat et découpez-la en parts.
- Servez aussitôt avec une salade verte.

Vin conseillé Beaujolais rouge à 11 °C

Poêlée de St-Jacques aux asperges

Préparation **20 min** Cuisson **20 min** Difficulté ★★ Budget 

Les Ingrédients

pour 6 personnes

- 18 noix de St-Jacques
- 2 bottes d'asperges vertes
- 250 g de pholiotes (champignons)
- 1 branche de persil plat
- 3 cuill. à soupe d'huile d'olive
- 30 g de beurre
- Fleur de sel
- Poivre du moulin

Rincez et séchez les noix de St-Jacques dans du papier absorbant. Épluchez les asperges et coupez les queues. Rincez rapidement les champignons sous l'eau froide et séchez-les dans un linge. Lavez, séchez et hachez le persil.

Mettez les asperges dans le panier d'un cuit-vapeur. Ajoutez de l'eau, couvrez et faites cuire 15 minutes à la vapeur.

Faites chauffer l'huile dans une sauteuse. Faites-y sauter les champignons à feu vif pendant 3 minutes, puis ajoutez les asperges. Salez et poivrez, poursuivez la cuisson 2 minutes et réservez au chaud.

Coupez les noix de St-Jacques en deux dans l'épaisseur. Faites fondre le beurre dans une poêle et faites-y saisir les noix de St-Jacques 30 secondes de chaque côté.

Répartissez les légumes dans des assiettes et posez les noix de St-Jacques par-dessus. Salez et poivrez, puis parsemez de persil et servez aussitôt.

Vin conseillé Pouilly Fumé à 9 °C

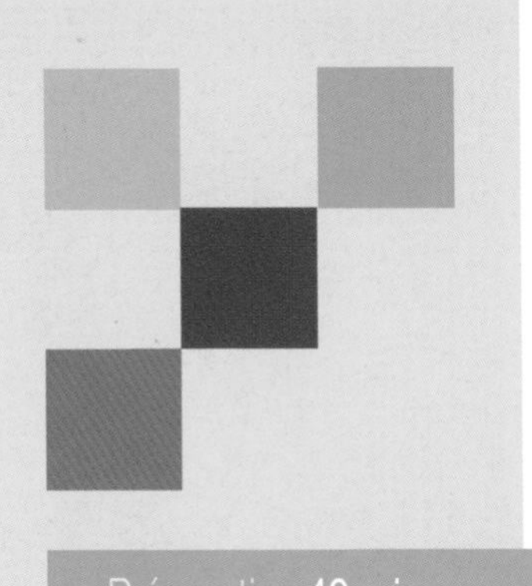

Risotto à la betterave

Préparation **40 min** Cuisson **1 h** Difficulté ★★★ Budget 

Les Ingrédients

pour 6 personnes

- 500 g de riz à risotto
- 12 mini-betteraves crues
- 75 cl de bouillon de légumes
- 1 oignon
- 2 cuill. à soupe de pignons de pin
- 80 g de beurre très froid
- 125 g de roquette
- 2 cuill. à soupe d'huile
- Sel, poivre

Mettez les mini-betteraves dans une casserole. Couvrez-les d'eau aux trois quarts et portez à ébullition. Faites cuire 30 minutes, jusqu'à ce que les betteraves soient tendres. Égouttez-les avec une écumoire et réservez leur jus de cuisson.

Passez les betteraves sous l'eau froide pour les rafraîchir et épluchez-les délicatement. Réservez-les. Faites chauffer doucement le bouillon de légumes.

Pelez et hachez l'oignon finement. Faites chauffer l'huile dans une grande sauteuse et faites-y revenir l'oignon et le riz sans coloration. Quand le riz est translucide, versez dessus 50 cl de jus de cuisson des betteraves. Faites cuire à feu moyen en remuant jusqu'à ce qu'il n'y ait plus de liquide.

Ajoutez alors les pignons, puis versez petit à petit le bouillon chaud dans le riz, en remuant sans arrêt. Chaque petite quantité de bouillon doit être totalement absorbée par le riz avant d'en rajouter. En fin de cuisson, ajoutez le beurre en parcelles et les betteraves. Salez légèrement et poivrez.

Répartissez dans des assiettes creuses, ajoutez quelques feuilles de roquette et servez aussitôt.

Vin conseillé Bourgogne blanc à 9 °C

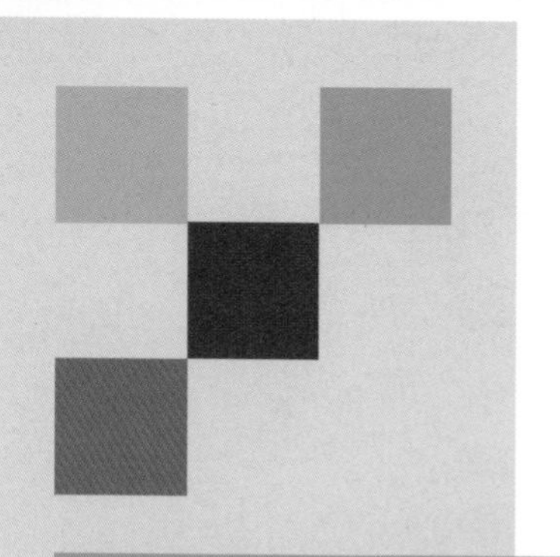

Sauté de gambas au curry

Préparation **15 min** Cuisson **5 min** Difficulté ★ Budget 

Les Ingrédients

pour 6 personnes

- 36 gambas crues
- 1 cuill. à soupe rase de curry en poudre
- 3 tiges de coriandre
- 3 tiges de ciboulette
- 4 cuill. à soupe d'huile d'arachide
- Sel

Décortiquez les gambas en laissant la carapace du bout de la queue. Lavez, séchez, effeuillez et hachez la coriandre.

Faites chauffer l'huile dans une poêle. Jetez-y les gambas, poudrez-les aussitôt de curry et faites-les sauter à feu vif pendant 2 minutes.

Ajoutez la coriandre et prolongez la cuisson 1 minute en remuant. Salez.

Mettez les gambas dans un plat et décorez de tiges de ciboulette.

Servez aussitôt avec du riz basmati.

Vin conseillé Cassis blanc à 9 °C

Tortilla au poisson

Préparation 20 min Cuisson 1 h Repos 12 h Difficulté ★★ Budget  

Les Ingrédients

pour 6 personnes

- 12 œufs
- 5 pommes de terre
- 500 g de morue
- 2 poivrons verts
- 1 feuille de laurier
- 4 cuill. à soupe d'huile
- Sel, poivre

La veille, faites dessaler la morue dans de l'eau froide en changeant l'eau au moins quatre fois au cours du dessalage.

Le jour même, rincez et égouttez la morue, mettez-la dans une casserole, couvrez d'eau froide et ajoutez le laurier. Portez à ébullition, puis baissez le feu et faites cuire la morue pendant 20 minutes à petits frémissements. Épluchez les pommes de terre, coupez-les en petits cubes et faites-les cuire dans de l'eau salée jusqu'à ce qu'elles soient tendres.

Pendant ce temps, lavez, épépinez et émincez finement les poivrons. Battez les œufs en omelette. Égouttez les pommes de terre et la morue. Effeuillez la morue.

Faites chauffer l'huile dans une grande poêle. Faites-y revenir les poivrons émincés pendant 5 minutes en remuant. Ajoutez les pommes de terre et la morue. Poivrez. Versez les œufs sur la garniture et faites cuire à feu moyen pendant 5 minutes, jusqu'à ce que les bords de l'omelette soient cuits. Retournez l'omelette et poursuivez la cuisson 5 minutes.

Faites glisser la tortilla dans un plat et découpez-la en petits carrés. Servez aussitôt.

Vin conseillé Côtes de Provence rosé à 9 °C

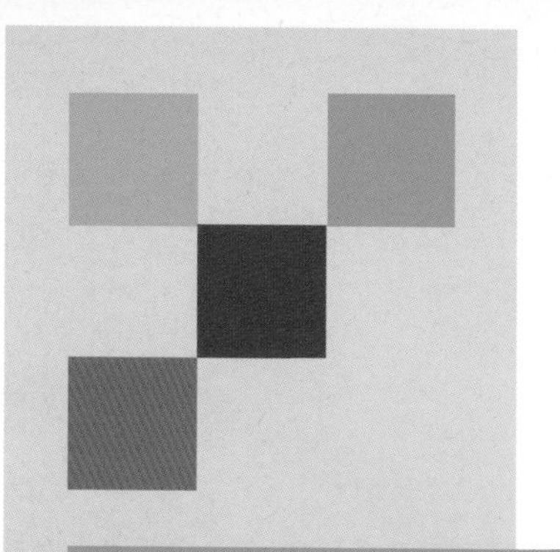

Bœuf sauté aux oignons

Préparation **30 min** Cuisson **25 min** Difficulté ★★ Budget

Les Ingrédients

pour 6 personnes

- 1 kg de filet de bœuf
- 6 gros oignons
- 3 poignées d'épinards en feuilles
- 2 carottes
- 2 gousses d'ail
- 4 cuill. à soupe d'huile d'arachide
- 1 trait de vinaigre de Xérès
- Sel, poivre

Coupez le filet de bœuf en fines tranches. Pelez et émincez les oignons. Lavez, essorez et séchez les épinards. Pelez et détaillez les carottes en très fins bâtonnets. Pelez et émincez les gousses d'ail.

Faites chauffer l'huile dans une grande poêle. Jetez-y les oignons et les gousses d'ail, et faites-les revenir à feu doux pendant 15 minutes environ, jusqu'à ce qu'ils soient translucides et fondants.

Augmentez le feu pour qu'il soit vif et ajoutez les tranches de bœuf. Faites cuire en remuant 2 minutes, puis ajoutez les feuilles d'épinards et poursuivez la cuisson 5 minutes, toujours à feu vif.

Salez et poivrez, arrosez de vinaigre de Xérès, puis prolongez la cuisson 2 minutes.

Versez dans un plat et servez aussitôt avec du riz basmati.

Vin conseillé Bordeaux-Côtes de Francs rouge à 14 °C

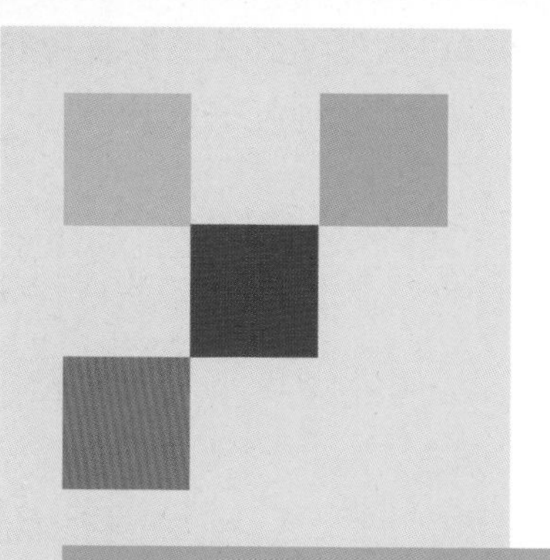

Chop suey de légumes

Préparation 20 min | Cuisson 25 min | Repos 30 min | Difficulté ★ | Budget ○

Les Ingrédients

pour 6 personnes

- 100 g de champignons noirs
- 200 g de bouquets de chou-fleur
- 100 g de pousses de bambou
- 100 g de haricots verts
- 1 oignon
- 3 carottes
- 2 branches de céleri
- 1 courgette
- 1 poivron rouge
- 50 g de saindoux
- 3 cuill. à soupe de sauce soja
- Poivre

Faites tremper les champignons noirs 30 minutes dans de l'eau tiède. Épluchez les carottes et le céleri branche, et coupez-les en bâtonnets. Lavez, épépinez et émincez le poivron. Égouttez les pousses de bambou, lavez et épluchez les haricots verts. Pelez et émincez finement l'oignon. Lavez et coupez la courgette en rondelles.

Plongez les haricots verts et les bouquets de chou-fleur 10 minutes dans de l'eau bouillante. Égouttez-les, puis réservez-les. Égouttez les champignons noirs.

Faites fondre le saindoux dans une sauteuse. Quand elle est bien chaude, ajoutez les légumes dans l'ordre suivant : oignon, céleri branche, carottes, poivron, chou-fleur, haricots verts, courgette, champignons noirs et pousses de bambou. Arrosez de sauce soja et poivrez.

Faites cuire 20 minutes à feu doux en remuant de temps en temps. Les légumes doivent rester croquants.

Servez dès la fin de la cuisson.

Vin conseillé Corbières rosé à 13 °C

Choux de Bruxelles aux lardons

Préparation **15 min** Cuisson **30 min** Difficulté ★ Budget 

Les Ingrédients

pour 6 personnes

- 1 kg de choux de Bruxelles
- 150 g de lardons
- 80 g de pignons de pin
- 20 g de beurre
- 1 échalote
- Sel, poivre

Épluchez et lavez les choux de Bruxelles. Entaillez légèrement la base en croix. Faites-les blanchir 5 minutes dans de l'eau bouillante. Égouttez-les et jetez l'eau.

Remettez les choux de Bruxelles à cuire dans de l'eau bouillante salée pendant 10 minutes. Égouttez-les de nouveau. Pelez et émincez l'échalote.

Faites fondre le beurre dans une poêle. Ajoutez les lardons et faites-les rissoler doucement pendant 5 minutes environ.

Ajoutez les pignons et les choux de Bruxelles. Mélangez, salez et poivrez. Poursuivez la cuisson 10 minutes.

Servez dès la fin de la cuisson en accompagnement d'une viande.

Vin conseillé Chinon rouge à 16 °C

Fricassée campagnarde de pois

Préparation 25 min Cuisson 55 min Difficulté ★ Budget 

Les Ingrédients

pour 6 personnes

- 450 g de petits pois frais écossés
- 250 g de pois gourmands
- 4 pommes de terre
- 1 botte de petits oignons blancs nouveaux
- 100 g de lardons allumettes
- 1 bouquet garni
- 75 g de beurre salé
- Sel, poivre

Épluchez les pommes de terre et coupez-les en petits cubes. Mettez-les dans une casserole, couvrez-les d'eau froide, salez et faites cuire 10 minutes après ébullition. Égouttez et réservez.

Portez une grande casserole d'eau salée à ébullition avec le bouquet garni. Ajoutez les petits pois et faites-les cuire 10 minutes. Égouttez, ôtez le bouquet garni et réservez.

Pelez et coupez les oignons en quartiers. Faites fondre le beurre dans une grande sauteuse. Ajoutez les oignons et faites-les revenir à feu doux pendant 5 minutes sans coloration. Ajoutez les petits pois et les dés de pommes de terre, et couvrez. Faites cuire à feu doux pendant 10 minutes, puis ajoutez les pois gourmands et prolongez la cuisson 10 minutes.

Pendant ce temps, faites dorer les lardons dans une poêle chauffée à blanc. Ajoutez-les ensuite dans la sauteuse et mélangez.

Rectifiez l'assaisonnement et servez aussitôt.

Vin conseillé Sauvignon de Touraine à 9 °C

Fricassée de pintade aux petits pois

Préparation 20 min | Cuisson 1 h 10 | Difficulté ★★ | Budget 

Les Ingrédients
pour 6 personnes

- 1 pintade coupée en morceaux
- 500 g de petits pois frais écossés
- 30 cl de crème liquide
- 10 cl de vin blanc sec
- 2 échalotes roses
- 1 bouquet garni
- 4 cuill. à soupe d'huile
- Sel, poivre

Plongez les petits pois dans de l'eau bouillante salée et faites-les cuir 10 minutes. Égouttez et réservez-les dans de l'eau fraîche.

Faites chauffer l'huile dans une grande sauteuse. Faites-y dorer le morceaux de pintade de tous les côtés. Pendant ce temps, pelez e hachez les échalotes.

Retirez les morceaux de pintade de la sauteuse et remplacez-les pa l'échalote. Faites-la suer à feu doux 2 minutes en remuant. Remette les morceaux de pintade et versez le vin blanc. Ajoutez le bouque garni, puis salez et poivrez. Couvrez et faites cuire 40 minutes.

Retirez le couvercle de la sauteuse et ajoutez les petits pois Poursuivez la cuisson 10 minutes, puis versez la crème et prolonge la cuisson 10 minutes à feu très doux, la crème ne devant pas bouilli Salez et poivrez.

Mettez les morceaux de pintade dans un plat, versez par-dessus le petits pois et la crème, et servez aussitôt.

Vin conseillé Marsannay rouge à 15 °C

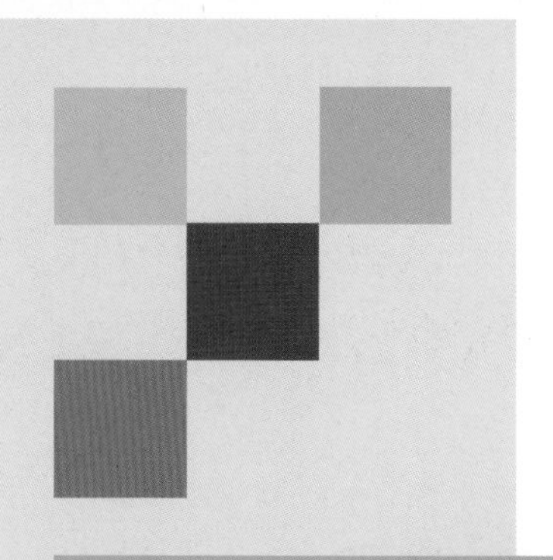

Galettes de maïs aux légumes

Préparation 25 min | Cuisson 30 min | Difficulté ★★ | Budget ○

Les Ingrédients
pour 6 personnes

- 400 g de maïs cuit
- 3 courgettes
- 2 échalotes roses
- 4 cuill. à soupe d'huile d'olive
- 3 œufs
- 3 brins de persil plat
- Sel, poivre

Rincez abondamment le maïs sous l'eau froide, égouttez-le bien e réservez-le. Lavez et émincez finement les échalotes. Lavez et râpez les courgettes. Lavez, séchez, effeuillez et hachez le persil.

Faites chauffer deux cuillères à soupe d'huile dans une poêle. Faites y revenir les courgettes et les échalotes pendant 15 minutes er remuant. Salez et poivrez.

Mélangez le maïs, le mélange courgettes-échalotes, le persil et les œufs entiers. Façonnez des petites galettes.

Faites chauffer le reste d'huile dans une poêle antiadhésive. Posez les galettes et faites-les cuire 3 minutes de chaque côté. Égouttez-les su du papier absorbant, puis disposez-les dans un plat.

Servez chaud, tiède ou froid avec une salade de légumes croquants aux oignons rouges.

Vin conseillé Rosé de Loire à 11 °C

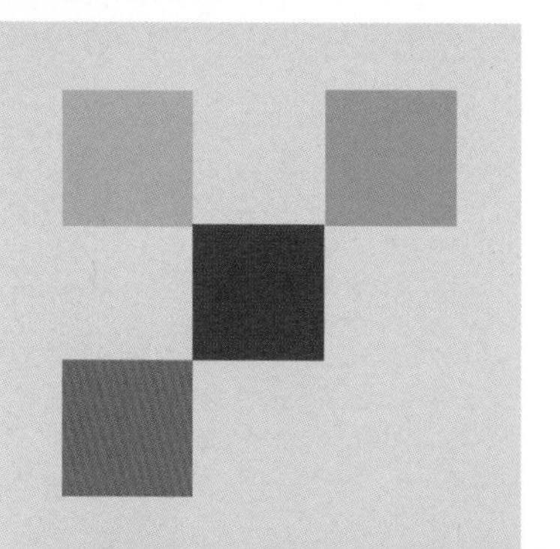

Manchons de poulet au curry

Préparation 20 min | Cuisson 1 h | Difficulté  | Budget 

Les Ingrédients

pour 6 personnes

- 12 manchons de poulet
- 6 pommes
- 1 botte de petits oignons blancs nouveaux
- 1 cuill. à soupe de curry en poudre
- 1 piment rouge
- 50 g de copeaux de noix de coco
- 5 cl de bouillon de volaille
- 4 cuill. à soupe d'huile d'arachide
- Sel, poivre

Épluchez les oignons et coupez-les en petits quartiers.

Faites chauffer l'huile dans une grande sauteuse. Faites-y dorer les manchons de poulet de tous les côtés. Saupoudrez-les ensuite de curry, ajoutez les oignons dans la sauteuse, puis salez et poivrez. Versez le bouillon, couvrez et faites cuire doucement pendant 30 minutes.

Pendant ce temps, lavez et coupez le piment en rondelles fines. Épépinez-le. Pelez et coupez les pommes en quartiers.

Ajoutez le piment et les quartiers de pommes dans la sauteuse. Poursuivez la cuisson 20 minutes. Versez les manchons et leur garniture dans un plat, puis parsemez de copeaux de noix de coco.

Servez très chaud avec du riz basmati.

Vin conseillé Coteaux du Languedoc blanc à 11 °C

Nouilles sautées au poulet et aux légumes

Préparation **30 min** | Cuisson **30 min** | Difficulté ★★ | Budget ⬭

Les Ingrédients

pour 6 personnes

- 350 g de nouilles de riz chinoises
- 3 blancs de poulet
- 3 carottes
- 250 g de champignons noirs
- 150 g de fèves fraîches
- 125 g de feuilles d'épinards
- 2 tiges de coriandre
- 2 cuill. à soupe de sauce soja
- 1 cuill. à soupe de miel
- 4 cuill. à soupe d'huile d'arachide
- Sel, poivre

Plongez les nouilles dans de l'eau bouillante et faites-les cuire 2 minutes. Égouttez et rafraîchissez-les, puis réservez-les. Plongez les fèves 3 minutes dans de l'eau bouillante salée, puis égouttez et réservez-les.

Coupez les blancs de poulet en petits cubes. Pelez et coupez les carottes en bâtonnets fins. Faites tremper les champignons dans de l'eau tiède. Lavez et émincez grossièrement les feuilles d'épinards. Lavez, séchez, effeuillez et ciselez la coriandre.

Faites chauffer l'huile dans une grande sauteuse. Faites-y dorer les morceaux de poulet, puis retirez-les de la sauteuse. Remplacez-les par les bâtonnets de carottes. Faites-les revenir à feu vif 5 minutes, puis baissez le feu. Remettez les morceaux de poulet et faites cuire à feu doux pendant 10 minutes en remuant régulièrement.

Ajoutez les nouilles, les épinards, les fèves, les champignons noirs, la coriandre, le miel et la sauce soja dans la sauteuse. Salez et poivrez. Faites cuire 5 minutes à feu vif en remuant.

Servez aussitôt.

Vin conseillé Brouilly à 12 °C

Paella

Préparation **45 min** Cuisson **1 h 35** Difficulté ★★ Budget 

Les Ingrédients

pour 6 personnes

- 600 g de riz
- 6 cuisses de poulet
- 6 râbles de lapin
- 24 crevettes roses
- 6 calamars
- 2 oignons
- ½ poivron vert
- ½ poivron rouge
- 300 g de tomates concassées
- 3 cuill. à soupe de petits pois surgelés
- 1 dose de safran en poudre
- 2 cuill. à café de paprika
- 2 gousses d'ail
- 12 cl d'huile d'olive
- Sel, poivre

Nettoyez et coupez les calamars. Épluchez et émincez les oignons. Pelez et coupez l'ail en lamelles. Épépinez et coupez les poivrons en dés.

Faites chauffer la moitié de l'huile dans une grande sauteuse. Faites-y revenir les crevettes, puis retirez-les. Dans la même huile, faites dorer les morceaux de poulet, les râbles et les oignons 5 minutes. Ajoutez les tomates, versez 3 l d'eau et faites cuire à feu doux 45 minutes.

Quand la cuisson est terminée, retirez les morceaux de poulet et les râbles, et versez le bouillon dans un saladier. Gardez de côté. Faites chauffer le reste d'huile dans la sauteuse. Faites revenir les calamars, les poivrons et l'ail 5 minutes. Ajoutez le riz et mélangez.

Versez le bouillon, ajoutez le safran et le paprika, et faites cuire 15 minutes. Salez et poivrez. Ajoutez les morceaux de poulet, les râbles de lapin, les crevettes et les petits pois. Prolongez la cuisson 10 minutes à feu doux.

Servez très chaud.

Vin conseillé Collioure rosé à 11 °C

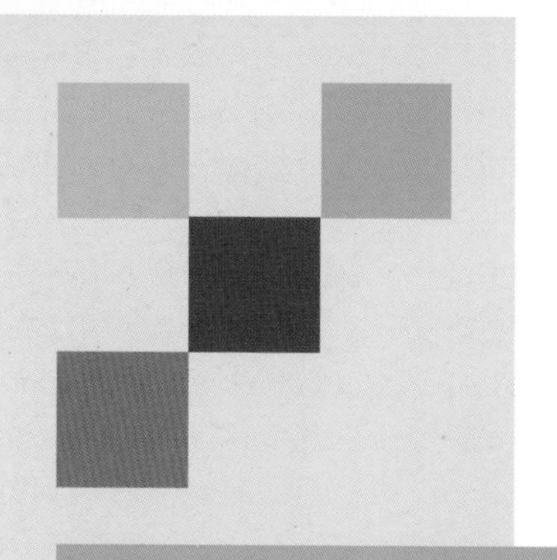

Pâtes aux coques et au basilic

Préparation 15 min | Cuisson 30 min | Repos 12 h | Difficulté  | Budget 

Les Ingrédients

pour 6 personnes

- 500 g de spaghettis
- 2 l de coques
- 2 petits piments rouges
- 3 tiges de petit basilic
- 1 cuill. à café de poivre vert en grains
- 1 carotte
- 2 petits oignons
- 10 cl de vin blanc sec
- 3 cuill. à soupe d'huile d'olive
- Sel, poivre

La veille, faites dessaler les coques dans de l'eau froide.

Le jour même, égouttez les coques. Épépinez et émincez les piments. Lavez, séchez et effeuillez le basilic. Réservez quelques petites feuilles entières et ciselez le reste. Pelez et râpez la carotte. Pelez et émincez les oignons.

Faites chauffer l'huile dans une grande sauteuse. Faites-y revenir l'oignon et la carotte sans coloration. Ajoutez le basilic ciselé, le poivre vert et les coques. Salez et poivrez, versez le vin blanc, puis mélangez et couvrez. Faites cuire 15 minutes.

Pendant ce temps, plongez les spaghettis dans de l'eau bouillante salée et faites-les cuire 10 minutes. Égouttez-les et ajoutez-les dans la sauteuse. Mélangez, rectifiez l'assaisonnement et répartissez dans des bols.

Décorez de feuilles de basilic et servez aussitôt.

Vin conseillé Alsace-Riesling à 9 °C

Paupiettes de lotte enlardées

Préparation **20 min** Cuisson **25 min** Difficulté ★ Budget 

Les Ingrédients

pour 6 personnes

- 1,2 kg de queue de lotte
- 2 choux romanesco
- 12 tranches fines de poitrine fumée
- 4 cuill. à soupe d'huile
- Sel, poivre du moulin

- Coupez la queue de lotte en médaillons. Coupez les choux romanesco en petits bouquets et lavez-les. Coupez les tranches de poitrine fumée en deux dans la longueur.

- Plongez les bouquets de romanesco dans de l'eau bouillante salée et faites-les cuire 15 minutes. Égouttez-les et réservez-les.

- Entourez chaque médaillon de lotte dans une lamelle de poitrine fumée et ficelez-les pour les maintenir ensemble.

- Faites chauffer l'huile dans une grande poêle. Posez les médaillons de lotte dans la poêle et faites-les sauter à feu vif pendant 8 minutes. Poivrez. Ajoutez les bouquets de romanesco et prolongez la cuisson 2 minutes.

- Répartissez les médaillons de lotte et les bouquets de choux dans des assiettes, et servez aussitôt.

Vin conseillé Bourgogne-Aligoté à 9 °C

Penne aux crevettes

Préparation **20 min** Cuisson **20 min** Difficulté ★ Budget 

Les Ingrédients

pour 6 personnes

- 400 g de penne
- 500 g de crevettes roses crues
- 250 g de champignons de Paris
- 1 cuill. à café de poivre de Séchuan
- 1 branche d'aneth
- 4 cuill. à soupe d'huile
- Sel

Portez une grande marmite d'eau salée à ébullition. Plongez-y les pâtes et faites-les cuire selon les indications du paquet pour qu'elles soient « al dente ». Égouttez-les et réservez-les.

Décortiquez les crevettes en leur laissant le bout de carapace de la queue. Rincez et séchez les champignons, puis émincez-les. Lavez, séchez et effeuillez l'aneth en toutes petites feuilles.

Faites chauffer l'huile dans une grande sauteuse. Ajoutez les champignons et les crevettes, et faites-les sauter à feu vif pendant 5 minutes. Salez et ajoutez le poivre de Sechuan, puis les pâtes.

Mélangez bien et prolongez la cuisson 2 minutes à feu vif en remuant. Parsemez d'aneth.

Répartissez les pâtes dans des assiettes creuses préalablement chauffées et servez immédiatement.

Vin conseillé Chablis à 9 °C

Poêlée d'automne

Préparation **35 min** Cuisson **50 min** Difficulté ★ Budget

Les Ingrédients

pour 6 personnes

- 1 filet de bœuf de 850 g
- 250 g de cèpes
- 150 g de chanterelles
- 3 pommes
- 1 botte de petits oignons blancs
- 2 poivrons rouges
- 6 petites brins d'estragon
- 5 cuill. à soupe d'huile
- Sel, poivre

Préchauffez le four th 7 (210 °C). Mettez le filet de bœuf dans un plat arrosez-le d'une cuillère à soupe d'huile, poivrez et enfournez. Faites cuire 20 minutes.

Pendant ce temps, lavez les pommes, rincez et séchez les champignons dans un linge propre, lavez et épépinez les poivrons. Coupez les pommes et les poivrons en petits cubes. Coupez les cèpes en grosses lamelles. Pelez et coupez les oignons en deux.

Faites chauffer le reste d'huile dans une grande poêle antiadhésive. Faites-y dorer à feu vif les oignons, puis ajoutez les cubes de poivrons et de pommes. Faites revenir à feu moyen pendant 15 minutes en remuant, puis ajoutez les champignons et poursuivez la cuisson 10 minutes. Salez et poivrez.

Sortez le filet de bœuf du four et coupez-le en tranches fines. Répartissez la poêlée de légumes aux pommes dans des assiettes et ajoutez quelques tranches de bœuf.

Décorez d'un brin d'estragon et servez aussitôt.

Vin conseillé Médoc à 14 °C

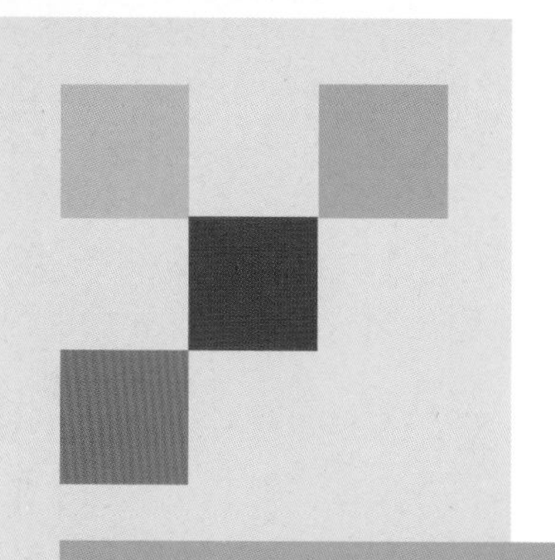

Poêlée de moules aux pommes de terre

Préparation **30 min** Cuisson **1 h** Difficulté ★★ Budget ⬭

Les Ingrédients

pour 6 personnes

- 5 l de moules de bouchot
- 1 kg de pommes de terre nouvelles
- 2 bottes de petits oignons blancs nouveaux
- 1 branche de céleri
- 10 cl de vin blanc sec
- 50 g de beurre
- 2 cuill. à soupe d'huile
- 2 branches d'estragon
- Sel, poivre

Ébarbez les moules. Épluchez les oignons en laissant les tiges. Épluchez et coupez le céleri en petits tronçons. Lavez, séchez et effeuillez l'estragon.

Mettez les moules dans une marmite. Ajoutez les oignons et le céleri, arrosez de vin blanc, puis salez et poivrez. Couvrez et faites cuire 20 minutes, jusqu'à ce que les moules soient bien ouvertes.

Pendant ce temps, pelez les pommes de terre. Faites chauffer l'huile et le beurre dans une grande sauteuse. Ajoutez les pommes de terre et faites-les revenir à feu vif jusqu'à ce qu'elles prennent une légère coloration. Baissez alors le feu, couvrez et faites cuire 30 minutes.

Retirez les moules et leur garniture de la marmite. Retirez le couvercle de la sauteuse des pommes de terre, ajoutez les moules, les oignons et le céleri, et mélangez bien. Filtrez le jus de cuisson et arrosez les moules d'un peu de jus. Poursuivez la cuisson 5 minutes.

Répartissez les moules, les pommes de terre et la garniture dans des petits plats individuels, et servez aussitôt décoré de feuilles d'estragon.

Vin conseillé Bordeaux blanc sec à 9 °C

Pommes de terre sautées

Préparation 15 min | Cuisson 45 min | Difficulté ★ | Budget ○

Les Ingrédients
pour 6 personnes

- 1 kg de petites pommes de terre de Noirmoutier
- 2 petits oignons
- 1 branche de coriandre
- 1 branche d'aneth
- 50 g de beurre
- 3 cuill. à soupe d'huile
- Fleur de sel
- Poivre du moulin

Lavez les pommes de terre et séchez-les dans un linge propre.

Pelez et émincez finement les oignons. Lavez, séchez et effeuillez la coriandre et l'aneth.

Faites chauffer le beurre et l'huile dans une grande sauteuse. Ajoutez les pommes de terre et les oignons, et faites-les revenir 5 minutes à feu vif, en secouant la poêle pour bien enrober les pommes de terre de beurre et d'huile.

Quand les pommes de terre et les oignons sont colorés, baissez le feu et couvrez. Faites cuire 40 minutes en remuant régulièrement. Parsemez de coriandre et d'aneth. Salez et donnez deux tours de poivre. Mélangez

Versez les pommes de terre dans un plat et servez aussitôt.

Vin conseillé Sancerre rouge à 15 °C

Ragoût de poulet

Préparation **20 min** Cuisson **50 min** Difficulté ★ Budget 

Les Ingrédients

pour 6 personnes

- 3 blancs de poulet
- 4 pommes de terre
- 4 carottes
- 3 cuill. à soupe d'huile
- 60 g de beurre
- 2 branches de thym
- 2 ciboules
- Sel, poivre

Coupez les blancs de poulet en petits morceaux. Pelez et coupez les pommes de terre en rondelles épaisses. Pelez et coupez les carottes en dés. Lavez, séchez et effeuillez le thym.

Faites chauffer l'huile et le beurre dans une sauteuse. Faites-y dorer les morceaux de poulet puis, quand ils sont bien colorés, retirez-les et réservez-les.

Mettez les rondelles de pommes de terre et les dés de carottes dans la sauteuse. Faites-les sauter à feu vif pendant 5 minutes, puis baissez le feu et remettez les morceaux de poulet. Salez et poivrez, parsemez de thym et couvrez.

Faites cuire pendant 40 minutes en remuant de temps en temps. Pendant ce temps, lavez, séchez et émincez les ciboules dans la longueur.

Répartissez le ragoût de poulet dans des bols et décorez de ciboule avant de servir.

Vin conseillé Côtes de Bourg rouge à 15 °C

Rouget poêlé

Préparation **20 min** Cuisson **25 min** Difficulté ★ Budget 

Les Ingrédients

pour 6 personnes

- 12 filets de rouget
- 4 courgettes
- 2 poivrons rouges
- 2 poivrons jaunes
- 1 bocal de mini-maïs
- 6 cuill. à soupe d'huile d'olive
- Fleur de sel
- Poivre du moulin

Lavez et coupez les courgettes en fines rondelles. Lavez, épépinez e coupez les poivrons en bâtonnets. Égouttez les mini-maïs.

Faites chauffer trois cuillères à soupe d'huile dans une grand sauteuse. Ajoutez les poivrons et faites-les revenir rapidement à fe vif pendant 2 minutes. Ajoutez les rondelles de courgettes et les mini maïs, puis salez et donnez deux tours de poivre. Baissez le feu e poursuivez la cuisson à feu moyen pendant 15 minutes en remuar de temps en temps.

Faites chauffer le reste d'huile dans une grande poêle antiadhésive Posez les filets de rouget dans la poêle, côté peau en dessous. Faites les cuire à feu vif pendant 3 minutes, puis retournez-les et poursuive la cuisson 2 minutes. Salez et donnez un tour de poivre.

Répartissez les légumes croquants dans des assiettes et posez deu filets de rouget par-dessus.

Servez immédiatement.

Vin conseillé Bandol rosé à 9 °C

Saltimboccas

Préparation **15 min** Cuisson **15 min** Difficulté ★★ Budget 

Les Ingrédients

pour 6 personnes

- 6 escalopes de veau
- 6 tranches de jambon de Parme
- 1 boule de mozzarella
- 18 feuilles de roquette
- 1 petit bouquet de ciboulette
- 20 cl de vin blanc sec
- 50 g de beurre
- 3 cuill. à soupe d'huile de tournesol
- Sel, poivre

Faites aplatir les escalopes de veau par le boucher. Coupez la mozzarella en six tranches.

Étalez les escalopes sur le plan de travail. Couvrez-les d'une tranche de jambon de Parme, puis d'une tranche de mozzarella. Posez par-dessus trois feuilles de roquette. Roulez les escalopes sur elles-mêmes.

Faites chauffer l'huile dans une poêle. Posez les saltimboccas dans la poêle. Faites cuire 10 minutes à feu moyen en les retournant régulièrement pour qu'ils cuisent de tous les côtés. Salez et poivrez. Ciselez la ciboulette.

Retirez les saltimboccas et maintenez-les au chaud. Versez le vin blanc dans la poêle et portez à ébullition en grattant le fond de la poêle avec une spatule en bois afin de décoller les sucs. Faites réduire de moitié, puis ajoutez le beurre en parcelles en fouettant. Ajoutez la ciboulette.

Posez la viande dans un plat, arrosez de sauce et servez avec des tagliatelles fraîches.

Vin conseillé Côtes du Rhône rouge à 15 °C

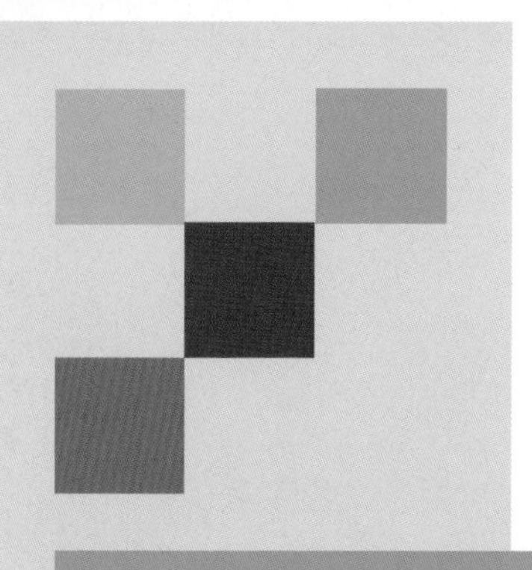

Saumon grillé et poêlée de pommes

Préparation **20 min** Cuisson **30 min** Difficulté ★★ Budget 

Les Ingrédients
pour 6 personnes

- 6 pavés de saumon dans le filet avec la peau
- 6 pommes de terre à chair ferme
- 6 pommes Reinette
- 3 cuill. à soupe de persil haché
- 6 petites branches de romarin
- 10 cuill. à soupe d'huile
- 75 g de beurre
- Le jus d'un citron
- Sel, poivre

Épluchez les pommes de terre et coupez-les en rondelles fines. Réservez-les dans de l'eau froide. Lavez et coupez les pommes en petits quartiers fins. Arrosez-les de jus de citron pour qu'ils ne noircissent pas.

Préchauffez le four en position gril. Égouttez les rondelles de pommes de terre et séchez-les bien dans un linge. Égouttez les quartiers de pommes.

Faites chauffer six cuillères à soupe d'huile et le beurre dans une poêle antiadhésive. Faites-y sauter les pommes de terre pendant 5 minutes à feu vif, puis ajoutez les quartiers de pommes. Poursuivez la cuisson à feu moyen pendant 15 minutes environ en remuant de temps en temps.

Mettez les pavés de saumon, côté peau en dessous, sur la plaque du four recouverte de papier sulfurisé. Arrosez-les du reste d'huile, puis salez et poivrez. Parsemez-le de persil haché. Enfournez et faites griller pendant 10 minutes.

Répartissez les pavés de saumon, les pommes de terre et les pommes dans des assiettes. Décorez d'un brin de romarin et servez aussitôt.

Vin conseillé Graves blanc à 9 °C

Sauté de carottes et de poireaux

Préparation **15 min** Cuisson **30 min** Difficulté ★ Budget ⬭

Les Ingrédients

pour 6 personnes

- 600 g de carottes
- 3 jeunes poireaux
- 1 cuill. à soupe de baies de genièvre
- 1 branche de thym
- 3 cuill. à soupe d'huile d'olive
- Fleur de sel

- Pelez et coupez les carottes en rondelles. Épluchez et émincez les poireaux.
- Faites chauffer l'huile dans une grande sauteuse. Ajoutez les carottes et les poireaux, et faites-les revenir à feu moyen 5 minutes en remuant. Ajoutez les baies de genièvre et la branche de thym.
- Mélangez bien et couvrez. Baissez le feu et faites cuire 20 minutes en remuant de temps en temps.
- Ôtez le couvercle de la sauteuse, salez et poursuivez la cuisson 5 minutes à découvert.
- Servez très chaud en accompagnement d'un gigot d'agneau.

Vin conseillé Rully blanc à 9 °C

Sauté de petits légumes

Préparation 20 min | Cuisson 40 min | Difficulté ★ | Budget 

Les Ingrédients

pour 6 personnes

- 500 g de mini-carottes nouvelles
- 500 g de petits navets nouveaux
- 1 orange
- 1 cuill. à soupe de câpres
- 1 cuill. à café de baies de genièvre
- 50 g de beurre
- 2 branches de cerfeuil
- Sel

Épluchez les carottes et les navets en laissant 1 cm de fanes. Lavez l'orange, prélevez le zeste et émincez-le finement. Pressez le jus.

Mettez les carottes et les navets dans une grande sauteuse. Ajoutez les baies de genièvre, le zeste de l'orange et le jus. Couvrez d'eau à fleur, puis ajoutez le beurre en parcelles et salez.

Portez à ébullition et faites cuire à petits bouillons jusqu'à complète évaporation de l'eau. Ajoutez alors les câpres et prolongez la cuisson 5 minutes en remuant.

Mettez les légumes dans un plat et parsemez de feuilles de cerfeuil.

Servez aussitôt en accompagnement d'une viande.

Vin conseillé Anjou blanc sec à 9 °C

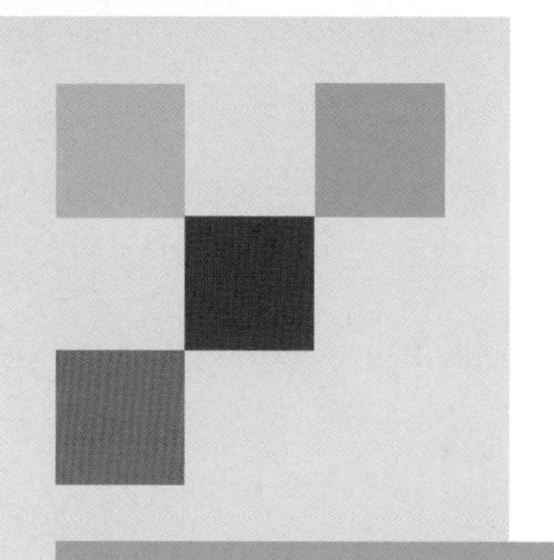

Sauté de porc aux lentilles corail

Préparation 20 min Cuisson 2 h 20 Difficulté ★ Budget 

Les Ingrédients

pour 6 personnes

- 1 kg de sauté de porc
- 500 g de lentilles corail
- 1 botte de petits oignons blancs
- 1 tige de menthe
- 30 cl de vin blanc sec
- 15 cl de crème liquide
- 6 cuill. à soupe d'huile d'arachide
- Sel, poivre

Coupez la viande en cubes. Faites chauffer quatre cuillères à soupe d'huile dans une grande sauteuse. Quand elle est chaude, faites-y dorer les morceaux de viande. Quand ils sont colorés, salez et versez le vin blanc. Baissez le feu au minimum, couvrez et faites cuire à feu doux pendant 1 heure 30.

Pendant ce temps, pelez et émincez finement les oignons. Faites chauffer le reste d'huile dans une casserole. Faites-y suer les oignons sans coloration pendant 2 minutes en remuant. Ajoutez les lentilles, salez et poivrez, remuez bien et couvrez d'eau froide. Portez à ébullition, puis baissez le feu, couvrez et faites cuire 40 minutes.

Lavez, séchez, effeuillez et ciselez la menthe. 5 minutes avant la fin de la cuisson du porc, retirez le couvercle et versez la crème. Poursuivez la cuisson en remuant.

Rectifiez l'assaisonnement et répartissez dans des assiettes. Arrosez de sauce, ajoutez les lentilles et parsemez de menthe.

Servez aussitôt.

Vin conseillé Morgon à 13 °C

Tartare poêlé

Préparation 30 min | Cuisson 15 min | Difficulté ★★ | Budget

Les Ingrédients

pour 6 personnes

- 1 kg de steak haché
- 3 cuill. à soupe de câpres
- 2 oignons blancs
- 2 branches de persil plat
- ½ cuill. à café de Tabasco
- 50 g de beurre
- Sel, poivre du moulin

Pour les frites :

- 1 kg de pommes de terre
- Huile de friture
- Sel

Lavez, séchez et effeuillez le persil. Pelez les oignons et coupez-les en petits morceaux. Hachez au couteau le persil, les câpres et les oignons.

Mettez la viande dans un saladier. Ajoutez le hachis d'oignons-câpres-persil et le Tabasco. Salez et poivrez. Mélangez bien à la fourchette. Formez six beaux steaks et placez-les au frais couverts de film alimentaire.

Pelez les pommes de terre et coupez-les en frites. Faites chauffer une grande casserole d'huile et plongez-y les frites par petites quantités. Faites-les cuire jusqu'à ce qu'elles soient bien dorées.

Égouttez-les avec une écumoire et mettez-les dans un plat recouvert de papier absorbant. Salez et réservez au chaud. Recommencez jusqu'à ce que toutes les frites soient cuites.

Faites chauffer le beurre dans une poêle antiadhésive. Posez les tartares et saisissez-les 1 minute de chaque côté. Répartissez les tartares et les frites dans des assiettes, salez et servez aussitôt.

Vin conseillé Anjou rouge à 12 °C

Torsades aux fonds d'artichauts

Préparation **15 min** Cuisson **35 min** Difficulté ★ Budget 

Les Ingrédients

pour 6 personnes

- 500 g de pâtes de type torsades
- 5 fonds d'artichauts
- 100 g de copeaux de parmesan
- 1 citron
- 5 cuill. à soupe d'huile d'olive
- Sel, poivre

- Pressez le jus du citron. Émincez les fonds d'artichauts.
- Faites chauffer l'huile dans une sauteuse. Jetez-y les fonds d'artichauts émincés et faites-les sauter à feu vif pendant 3 minutes. Salez et poivrez, puis versez le jus de citron. Baissez le feu et couvrez. Faites cuire doucement pendant 20 minutes en remuant de temps en temps.
- Portez à ébullition une grande casserole d'eau salée. Plongez-y les pâtes et faites-les cuire selon les indications du paquet.
- Égouttez les pâtes et ajoutez-les dans la sauteuse d'artichauts. Rectifiez l'assaisonnement, mélangez bien et versez dans un plat. Parsemez de copeaux de parmesan.
- Servez aussitôt.

Vin conseillé Touraine blanc à 9 °C

Brioche perdue

Préparation **15 min** Cuisson **15 min** Difficulté ★ Budget ⬭

Les Ingrédients

pour 6 personnes

- 12 tranches de pain brioché
- 6 œufs
- 30 cl de lait
- 120 g de sucre en poudre
- 100 g de beurre
- 6 boules de glace vanille
- Sucre glace

- Portez le lait à ébullition avec le sucre en poudre.
- Battez les œufs en omelette dans une assiette creuse. Versez le la chaud dans une autre assiette creuse.
- Faites fondre une noix de beurre dans une poêle antiadhésive Trempez rapidement les tranches de pain dans le lait sucré, puis dan l'œuf battu.
- Posez-les dans la poêle et faites-les dorer des deux côtés. Quan elles sont bien dorées, retirez-les de la poêle et réservez-les a chaud. Essuyez la poêle avec du papier absorbant, faites à nouvea fondre une grosse noix de beurre et recommencez l'opération jusqu' épuisement des tranches de pain brioché.
- Répartissez les tranches de brioche dans six assiettes. Saupoudre d'un nuage de sucre glace, ajoutez une boule de glace à la vanille e servez immédiatement.

Vin conseillé Muscat de Rivesaltes à 8 °C

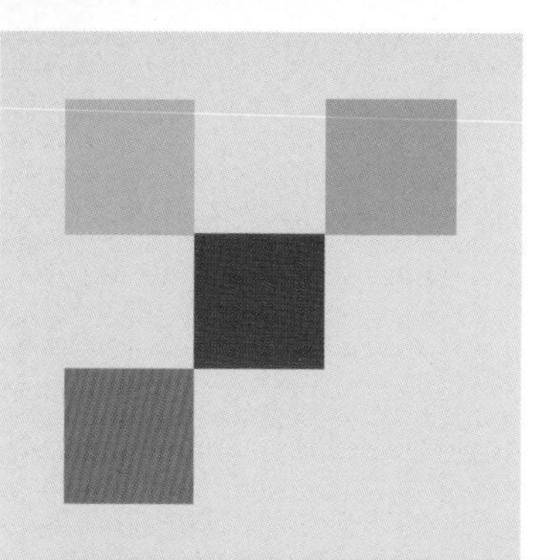

Crêpes au chocolat amer

Préparation **20 min** Cuisson **20 min** Repos **1 h** Difficulté ★★ Budget ⬭

Les Ingrédients

pour 6 personnes

Pour la pâte à crêpe :

- 125 g de farine
- ¼ l de lait
- 2 œufs
- 2 cuill. à soupe de cacao en poudre
- Huile

Pour le coulis aux fruits de la passion :

- 6 fruits de la passion
- Le jus d'un demi-citron

Préparez la pâte : versez la farine dans une jatte. Creusez une fontaine au centre et cassez-y les œufs. Fouettez à la fourchette en incorporant la farine, puis le lait au fur et à mesure. Mélangez bien jusqu'à obtention d'une pâte lisse et coulante.

Tamisez le cacao en poudre sur la pâte et mélangez délicatement. Couvrez d'un linge et laissez reposer à température ambiante pendant 1 heure.

Préparez le coulis aux fruits de la passion : coupez les fruits de la passion en deux. Évidez-les à l'aide d'une cuillère et mettez la pulpe dans un mixeur. Ajoutez le jus de citron. Mixez jusqu'à obtention d'un coulis. Réservez au frais.

Faites les crêpes : faites chauffer une poêle antiadhésive huilée. Versez une louche de pâte et tournez la poêle dans tous les sens afin de bien répartir la pâte. Laissez cuire 1 minute, puis retournez la crêpe et poursuivez la cuisson quelques secondes. Roulez la crêpe. Réservez au chaud. Recommencez l'opération jusqu'à épuisement de la pâte.

Répartissez les crêpes dans des assiettes et arrosez-les de coulis passion. Servez aussitôt.

Vin conseillé Crémant de Loire blanc à 9 °C

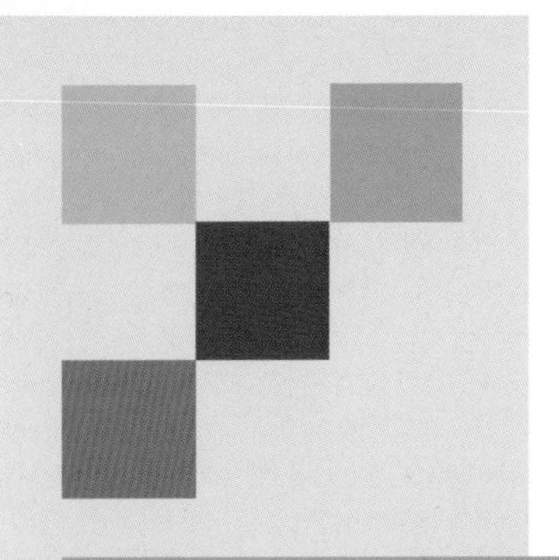

Crêpes soufflées aux pommes

Préparation **30 min** Cuisson **30 min** Difficulté ★★★ Budget ⬭

Les Ingrédients

pour 6 personnes

- 4 pommes
- 200 g de farine
- ½ l de lait
- 4 œufs
- 170 g de beurre
- 120 g de sucre en poudre
- ½ pincée de sel
- Sucre glace

- Pelez et évidez les pommes, puis coupez-les en lamelles. Faites fondre 100 g de beurre dans une poêle. Ajoutez les quartiers de pommes dans la poêle, saupoudrez-les de 100 g de sucre et faites-les cuire doucement en les retournant régulièrement jusqu'à ce qu'elles soient dorées. Retirez du feu et réservez.

- Faites fondre 50 g de beurre. Séparez les blancs des jaunes d'œufs. Fouettez les jaunes et le sucre restant. Versez la farine et le sel dans une jatte. Creusez une fontaine au centre et versez-y le mélange jaunes d'œufs-sucre. Mélangez en incorporant la farine petit à petit puis versez le lait en filet, tout en mélangeant. Ajoutez le beurre fondu et mélangez. Montez les blancs en neige ferme. Incorporez-les délicatement à la pâte.

- Faites fondre le beurre restant dans une poêle antiadhésive. Versez une petite louche de pâte dedans. Répartissez quelques lamelles de pommes sur toute la surface de la crêpe. Faites cuire 2 minutes, puis retournez la crêpe soufflée et poursuivez la cuisson 1 minute. Posez la crêpe dans une assiette et réservez au chaud.

- Recommencez l'opération jusqu'à épuisement de la pâte.

- Servez les crêpes bien chaudes poudrées de sucre glace.

Vin conseillé Cidre brut à 7 °C

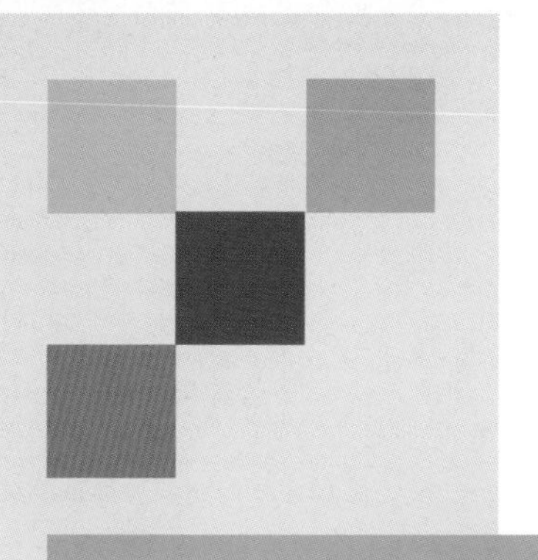

Figues rôties

Préparation **10 min** Cuisson **12 min** Difficulté ★ Budget 

Les Ingrédients

pour 6 personnes

- 18 figues violettes
- 5 cl de porto
- 75 g de sucre en poudre
- 50 g de beurre
- 1 cuill. à café rase de cannelle en poudre

- Essuyez délicatement les figues dans du papier absorbant. Mélange le sucre en poudre et la cannelle.
- Faites fondre le beurre dans une grande poêle. Posez les figues dans la poêle et saupoudrez-les du mélange sucre-cannelle.
- Faites cuire à feu doux pendant 10 minutes en retournant les figues délicatement de temps en temps. Elles doivent être tendres et légèrement confites.
- Arrosez les figues avec le porto et poursuivez la cuisson 2 minutes.
- Répartissez dans des assiettes et servez aussitôt avec une boule de glace à la vanille.

Vin conseillé Pineau des Charentes à 9 °C

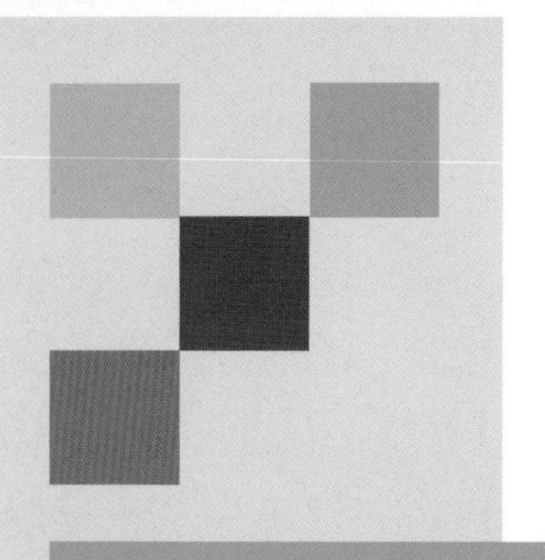

Fraises poêlées au miel

Préparation **15 min** | Cuisson **15 min** | Difficulté ★ | Budget 

Les Ingrédients

pour 6 personnes

- 1 kg de fraises
- 150 g de miel de lavande
- 20 cl de vin blanc moelleux
- 3 gousses de vanille

- Lavez et équeutez les fraises. Séchez-les délicatement dans du papier absorbant.
- Versez le miel dans une sauteuse. Ajoutez le vin blanc et portez à ébullition. Laissez cuire 5 minutes.
- Fendez la vanille en deux et prélevez les graines à l'aide de la pointe d'un couteau. Ajoutez-les dans le sirop et poursuivez la cuisson 5 minutes.
- Ajoutez les fraises dans la sauteuse. Mélangez délicatement de manière à bien enrober les fraises et laissez cuire à petit feu pendant 3 à 5 minutes.
- Répartissez les fraises dans six coupelles et servez-les accompagnées de tuiles aux amandes.

Vin conseillé Coteaux du Layon à 7 °C

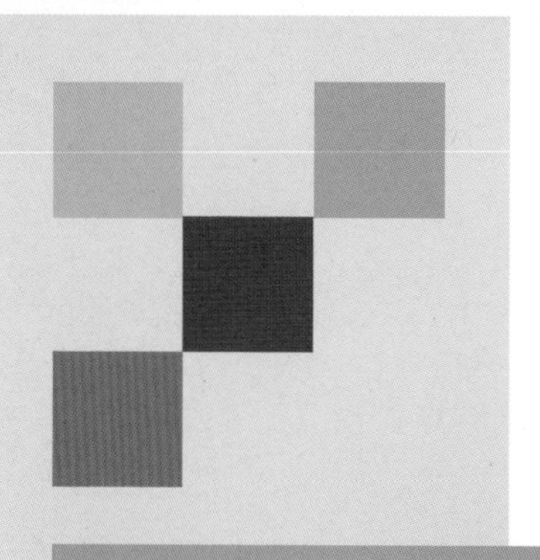

Galettes croquantes de riz

Préparation **10 min** Cuisson **10 min** Difficulté ★★ Budget 

Les Ingrédients

pour 6 personnes

- 180 g de riz cuit
- 30 g d'amandes mondées
- 60 g de raisins de Corinthe
- 3 œufs
- 160 g de farine
- 60 g de sucre roux
- Huile

Concassez les amandes. Battez les œufs en omelette.

Dans un saladier, mélangez le riz cuit, les amandes concassées et les raisins. Versez les œufs battus par-dessus et mélangez.

Ajoutez la farine et le sucre roux dans le saladier, et mélangez bien. Façonnez des petites galettes.

Huilez une poêle antiadhésive et faites-la chauffer. Posez les galettes dans la poêle et faites-les cuire 3 minutes, puis retournez-les et poursuivez la cuisson 2 minutes.

Servez les galettes tièdes ou froides au goûter.

Vin conseillé Clairette de Die à 7 °C

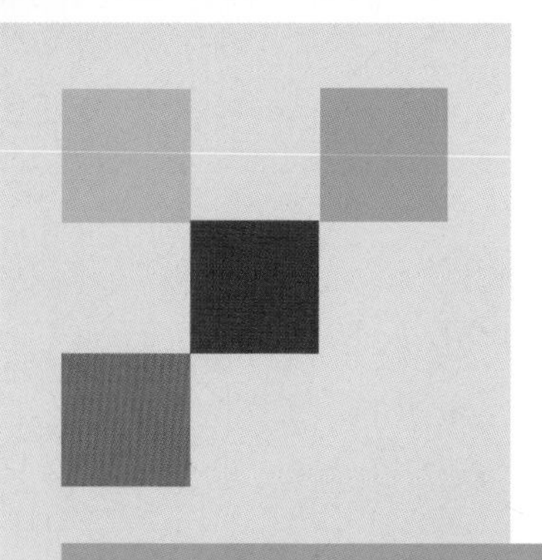

Galettes marocaines

Préparation 20 min | Cuisson 20 min | Repos 30 min | Difficulté ★★★ | Budget ⬭

Les Ingrédients

pour 6 personnes

- 375 g de semoule fine
- 125 g de farine
- 1 cuill. à café de sel
- ½ l de lait
- ½ l d'eau
- 3 œufs
- 40 g de levure
- Huile

Diluez la levure dans un peu d'eau tiède. Mélangez la farine, la semoule et le sel dans un grand saladier. Ajoutez la levure et mélangez.

Faites chauffer le lait et l'eau dans une casserole. Battez les œufs en omelette, puis ajoutez-les, hors du feu et en fouettant, dans le mélange lait-eau tiède.

Versez tout doucement la moitié du liquide dans le mélange farine-semoule en mélangeant, puis pétrissez à la main pendant 10 minutes. Versez alors le reste de liquide sur la pâte, couvrez d'un linge et laissez reposer 30 minutes.

Mélangez la pâte qui doit être épaisse et un peu coulante. Faites chauffer une poêle huilée. Versez une louche de pâte dans la poêle et étalez-la avec le dos de la louche. Faites cuire à feu doux jusqu'à ce que la pâte se couvre de petits trous et qu'il n'y ait plus de pâte crue apparente. Posez la galette sur un linge, côté lisse en dessous, et recommencez l'opération jusqu'à épuisement de la pâte.

Servez les galettes froides, arrosées de miel chaud.

Vin conseillé Loupiac à 7 °C

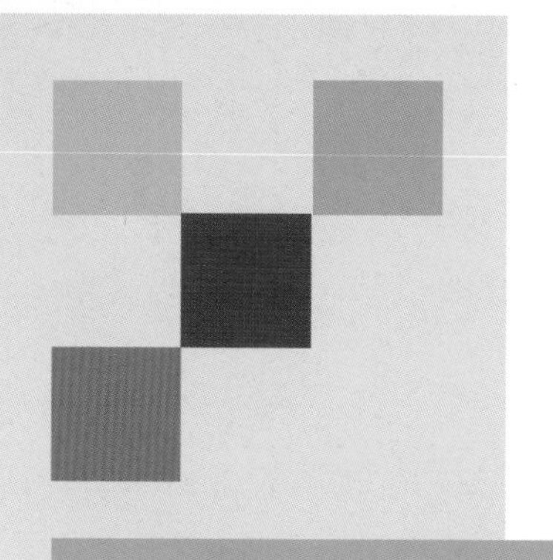

Nems aux pommes au lait de coco

Préparation **30 min** Cuisson **25 min** Difficulté ★★ Budget ⬭

Les Ingrédients

pour 6 personnes

Pour les nems :

- 12 galettes de riz
- 6 pommes
- 10 g de sucre en poudre
- 1 pot de gelée de groseilles
- 120 g de beurre

Pour le lait de coco à la vanille :

- 75 cl de lait de coco
- 100 g de sucre en poudre
- 2 bâtons de vanille

Versez le lait de coco dans une casserole. Ajoutez le sucre et les bâtons de vanille fendus en deux dans la longueur. Portez à ébullition en remuant. Aux premiers frémissements, retirez du feu et laissez refroidir. Versez dans des bols et placez au frais.

Pelez les pommes et coupez-les en quartiers. Retirez les cœurs et les pépins, puis coupez les quartiers en tout petits dés. Faites fondre 60 g de beurre dans une poêle et ajoutez les dés de pommes. Poudrez de sucre et faites cuire en remuant pendant 10 minutes. Les dés de pommes doivent être légèrement caramélisés.

Plongez les galettes de riz une par une dans de l'eau froide et posez-les sur un linge humide. Garnissez-les de gelée de groseilles et de dés de pommes, puis repliez deux extrémités et roulez ensuite les galettes pour former des nems.

Faites fondre le reste de beurre dans une poêle et faites-y dorer les nems en les retournant sans arrêt pour qu'ils colorent de tous les côtés. Égouttez-les sur du papier absorbant.

Servez les nems chauds avec le lait de coco vanillé glacé.

Vin conseillé Alsace-Gewurztraminer moelleux à 11 °C

Pamplemousse poêlé à l'anis

Préparation **15 min** | Cuisson **6 min** | Difficulté ★ | Budget 

Les Ingrédients

pour 6 personnes

- 4 pamplemousses
- 6 étoiles de badiane (anis étoilé)
- 150 g de sucre en poudre
- 60 g de beurre

Pelez à vif les pamplemousses. Détachez les quartiers les uns des autres en passant la lame d'un couteau à dents entre les fines membranes les séparant. Travaillez au-dessus d'un saladier afin de récupérer le jus.

Faites fondre le beurre dans une grande sauteuse. Jetez-y les étoiles de badiane et faites-les revenir dans le beurre 1 minute, puis ajoutez les quartiers de pamplemousses.

Saupoudrez de sucre et faites cuire 5 minutes. Retournez délicatement les quartiers de fruits à mi cuisson.

Répartissez les quartiers de pamplemousses dans des assiettes. Laissez la sauteuse sur le feu et versez-y le jus de pamplemousse récupéré. Portez à ébullition, puis versez-le sur les quartiers de fruits.

Servez aussitôt.

Vin conseillé Crémant de Limoux à 7 °C

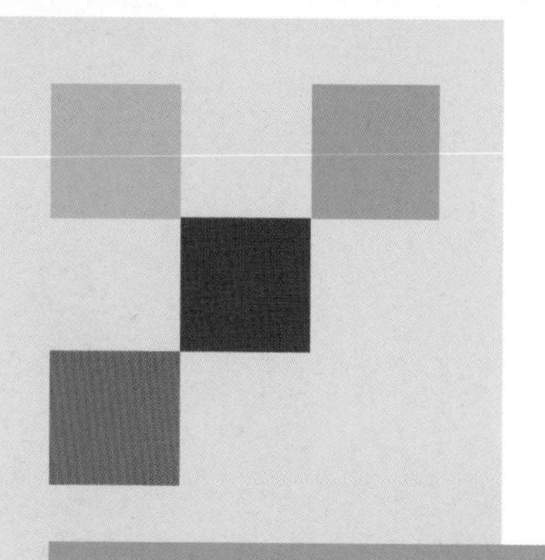

Poêlée de fruits d'automne

Préparation **20 min** | Cuisson **20 min** | Difficulté ★ | Budget 

Les Ingrédients

pour 6 personnes

- 8 dattes
- 8 figues fraîches
- 3 kiwis
- 250 g de mirabelles
- 100 g de raisins secs
- 75 g d'amandes effilées
- 1 cuill. à café de sucre cristal
- 1 cuill. à café rase de cannelle en poudre
- 4 tiges de menthe fraîche
- 6 boules de glace à la vanille
- 2 cuill. à soupe de rhum blanc

- Ouvrez les dattes et les mirabelles en deux, ôtez les noyaux, puis coupez les fruits en petits quartiers. Pelez et coupez les kiwis en rondelles. Coupez les figues en quartiers fins.

- Lavez, séchez, effeuillez et ciselez la menthe. Faites macérer les raisins secs dans le rhum.

- Mettez les dattes, les figues, les kiwis et les mirabelles dans une grande poêle antiadhésive. Placez sur feu doux et saupoudrez de sucre cristal et de cannelle. Faites cuire 15 minutes en mélangeant de temps en temps.

- Ajoutez les amandes et les raisins avec le rhum, et poursuivez la cuisson 5 minutes.

- Répartissez dans des coupelles, ajoutez une boule de glace à la vanille et parsemez de menthe. Servez aussitôt.

Vin conseillé Jurançon moelleux à 7 °C

Pommes au beurre flambées

Préparation **15 min** Cuisson **25 min** Difficulté ★★ Budget ⬭

Les Ingrédients

pour 6 personnes

- 6 pommes
- 75 g de beurre
- 4 cuill. à soupe de sucre cristal
- 5 cl de calvados
- 2 gousses de vanille

Lavez soigneusement les pommes, puis coupez-les en quartiers e[t] retirez les cœurs et les pépins.

Fendez les gousses de vanille en deux dans la longueur et récupére[z] les graines avec la pointe d'un couteau. Faites-les mariner dans l[e] calvados.

Faites fondre le beurre dans une grande poêle. Posez les quartiers d[e] pommes, ajoutez les gousses de vanille et faites cuire à feu moye[n] pendant 20 minutes environ en retournant régulièrement les quartier[s] de pommes. Les pommes doivent être fondantes, mais ne pas s[e] défaire.

Faites réchauffer doucement le calvados dans une casserole [à] flamber. Arrosez les pommes de calvados vanillé et faites flambe[r]. Saupoudrez de sucre cristal.

Répartissez les pommes dans des assiettes, arrosez du jus d[e] cuisson et servez aussitôt avec de la crème glacée à la vanille.

Vin conseillé Muscat d'Alsace à 8 °C

Index

Recette	Préparation	Cuisson	Repos/ Réfrig.	Difficulté	Budget	Vin	Page
oêlée de moules aux pommes de terre	30 min	1 h		★★	○	Bordeaux blanc sec à 9 °C	48
ommes de terre sautées	15 min	45 min		★	○	Sancerre rouge à 15 °C	50
agoût de poulet	20 min	50 min		★	○	Côtes de Bourg rouge à 15 °C	52
ouget poêlé	20 min	25 min		★	○○	Bandol rosé à 9 °C	54
altimboccas	15 min	15 min		★★	○○○	Côtes du Rhône rouge à 15 °C	56
aumon grillé et poêlée de pommes	20 min	30 min		★★	○○	Graves blanc à 9 °C	58
auté de carottes et de poireaux	15 min	30 min		★	○	Rully blanc à 9 °C	62
auté de petits légumes	20 min	40 min		★	○	Anjou blanc sec à 9 °C	60
auté de porc aux lentilles corail	20 min	2 h 20		★	○	Morgon à 13 °C	64
artare poêlé	30 min	15 min		★★	○○	Anjou rouge à 12 °C	66
orsades aux fonds d'artichauts	15 min	35 min		★	○	Touraine blanc à 9 °C	68
Desserts							
rioche perdue	15 min	15 min		★	○	Muscat de Rivesaltes à 8 °C	70
rêpes au chocolat amer	20 min	20 min	1 h	★★	○	Crémant de Loire blanc à 9 °C	72
rêpes soufflées aux pommes	30 min	30 min		★★★	○	Cidre brut à 7 °C	74
igues rôties	10 min	12 min		★	○○	Pineau des Charentes à 9 °C	76
raises poêlées au miel	15 min	15 min		★	○○	Coteaux du Layon à 7 °C	78
alettes croquantes de riz	10 min	10 min		★★	○	Clairette de Die à 7 °C	80
alettes marocaines	20 min	20 min	30 min	★★★	○	Loupiac à 7 °C	82
lems aux pommes et au lait de coco	30 min	25 min		★★	○	Alsace-Gewurztraminer moelleux à 11 °C	84
amplemousse poêlé à l'anis	15 min	6 min		★	○	Crémant de Limoux à 7 °C	86
oêlée de fruits d'automne	20 min	20 min		★	○○	Jurançon moelleux à 7 °C	88
ommes au beurre flambées	15 min	25 min		★★	○	Muscat d'Alsace à 8 °C	90

Index par ingrédients

Herbes

Condiments, épices

Poissons, fruits de mer

Viandes

Crèmerie

Alcool

Épicerie

Textes des recettes. Crédits iconographiques : Agence Sucré Salé
Photographes : Bagros, Bilic, Boivin, Caste, Desgrieux, Fénot, Fleurent, Food § Drink, Guedes, Hall, Kettenhofen, Lawton, Muriot, Nicoloso, Poisson d'avril, Renaudin, Riou, Roulier/Turiot, Subiros, Veigas, Viel.
Conception et adaptation : Idées Book
Création et mise en page : a linea infographie et création
Code Éditeur : 2-35086
Dépôt légal : janvier 2008
Imprimé et relié en Italie